第10話
In the morning：その執事、回想

父親似の赤毛が大嫌いだった　赤い色が大嫌いだった

アンの赤毛はとても綺麗だ
地に燃えるリコリスの色 君にはとても赤が似合う

貴方が誉めてくれてから赤い色が大好きになった

プチ
さて
ばっ
さっ
ばふっ
!?
なにっ…
あまりお体を冷やされませんように
街屋敷に戻ったらホットミルクでもお淹れ致しましょう
蜂蜜かブランデーで甘みをつけたものを

……
ぎゅ
アーーラ
そんな簡単に
帰してあげないわョ
ガルン!!
ギャ
死神の鎌もアタシも
最近手ごたえない獲物ばっかりで
欲求不満気味なの…
よッ
パ

ドッ
!!
ガガガッ
ガガガッ
ギャギャギャ
アタシは追われるより
追う方が好きヨ
セバスちゃん！
ギャギャギャ
ステキな鬼ごっこ
しましょ!!
ダッ

気持ち悪い事を言わないで下さいと
申し上げたはずです
が！
ズドン
ザンッ
ガッ
ギャ
そう言わないで！
きっとアナタも死神の鎌の味がクセになるわ
よ！
ダッ
ギャ

あん♡
見かけによらずパワフルなのね
セバスちゃん♡
そんなトコロもステキ♡
だけど…
ココからが本番！
死神の鎌にかかれば
…っ
ガス灯なんて…
小枝も同じよ！

ビリッ
ダッ
ザザザ
な…
お前は今日から
僕の下僕だ

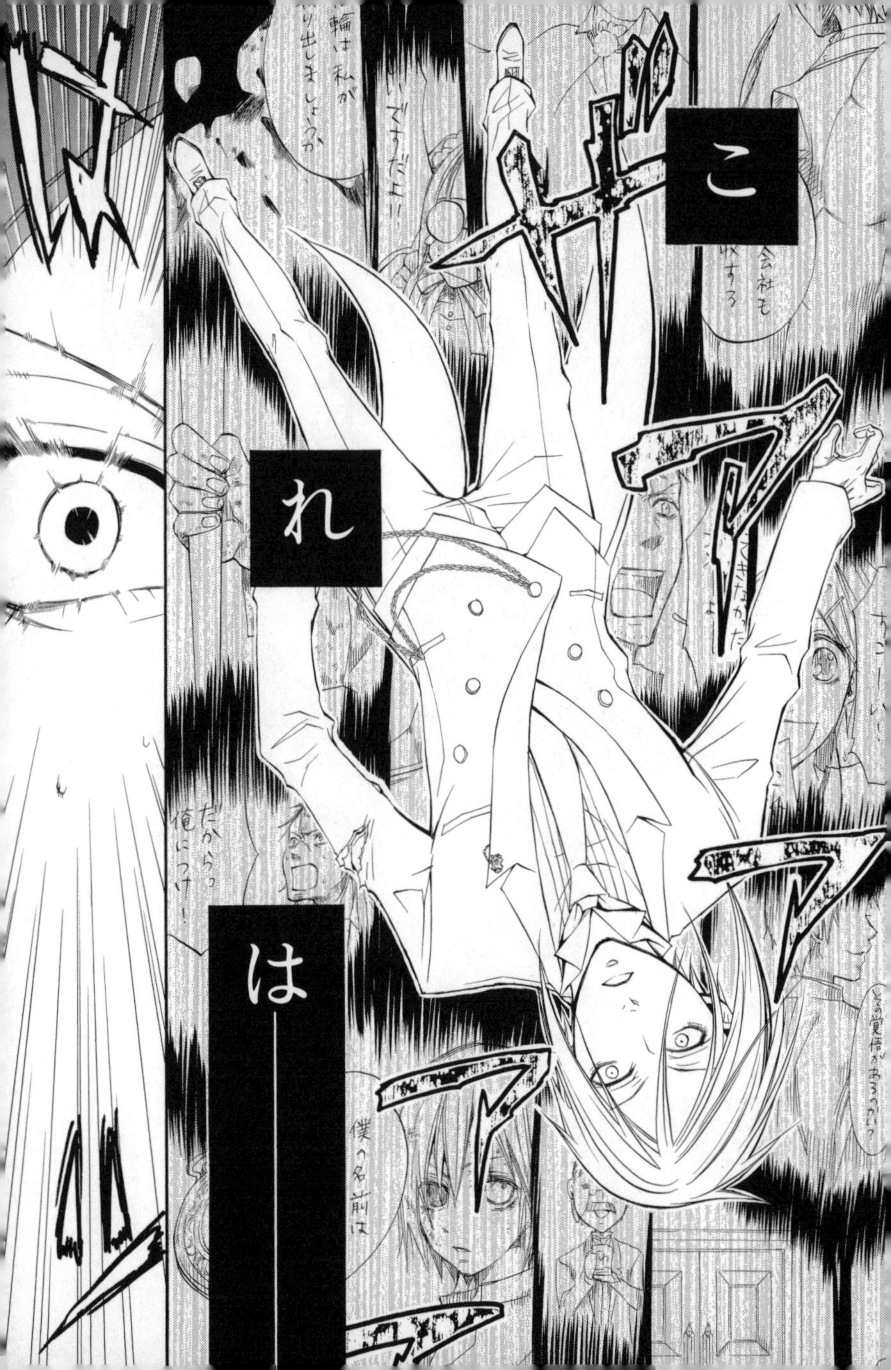
その覚悟があるのかい?
会社も
収する
いですだよ!!
輪は私が
り出しましょうか
こ
れ
は―
僕の名前は
だからっ
俺につけ!

——どう？
今のは死神の能力
「走馬灯劇場」
ドラマティックな痛みでしょう
死神はお上から配られたリストの死亡予定者の記憶を「走馬灯」で再生して審査するの
どういう人間でどういう人生だったのか

生かすべきか
殺すべきか

死ぬ間際に走馬灯が走るなんて言うけど
それは死神がその人間の「記憶」を再生しているに過ぎない
「コイツは死んじゃってイイかな」
って奴は…
死神の鎌で記憶も魂も身体から切り離して
「おしまい」よ
只でさえ悪趣味だと思っていましたが
さらにのぞき趣味ですか…最悪ですね

ノンノン！お仕事よ！
でも…
そうね！
いい男の過去って
ちょっと気になるわ！
悪そうな男なら…
なおさらね!!

バババ
ヺッ
ギャギャ
…ンフフッ
人間相手のごっこ遊びじゃ済まないわよセバスちゃん
ギギギ
死神の鎌にかかれば
ギャラ
記憶も
ズズ…
魂も
ララララ
空間も
悪魔だって
ギッギッ
本当に切れちゃうんだから！

何故…
何故？
今更それを聞いて
どうなるって
言うの？

あんたと
私は今
コッ
「番犬」と
「罪人」になった
コッ…

番犬を狩らなければ
狩られるのなら…
スッ
道は一つよ!!

ッ！
！
マダム
医者である貴女が何故人をっ…
あんたみたいなガキに言ったってわかりゃしないわ！
一生ね!!

かはッ
ギ
ギ
ギ
ギギ
あんたなんか…
あんたなんか
あんたなんかッ
ギレ
ギレっ
ギャ
…っ
ギギ
ギギ
あんたなんか
ギリッ
生まれて来なければ良かったのよ!!

姉さん
坊ちゃん！

やめろ
セバスチャン!!
カシャッ

殺すな!!
ピタッ
ハァ
ハァッ
……
ハッ
ハッ…
セバスチャン…?
ンフッ
セバスちゃんたら根性あるゥ♡
腕一本ダメにしてまで
そのガキ助けに行くなんて

それに比べてアンタはなんなの?
ザコッ
マダム!!
ビクッ
カッ
さっさとそのガキ殺っちゃいなさいよ!

ボソ…
だめ…
あん?
やっぱりダメ…
私にはこの子は殺せない…っ
今更何言ってんのよ
さんざん女共を切り刻んできたくせに!

そのガキ殺さなきゃ
アンタが消されるのよ！
せっかく死神が
手伝ってあげてる
のに！
この子は
私のっ…
でも…
はっ…
でも!!
ギリッ

ガッカリよ
マダム・レッド

ただの女になったアンタに
興味ないわ

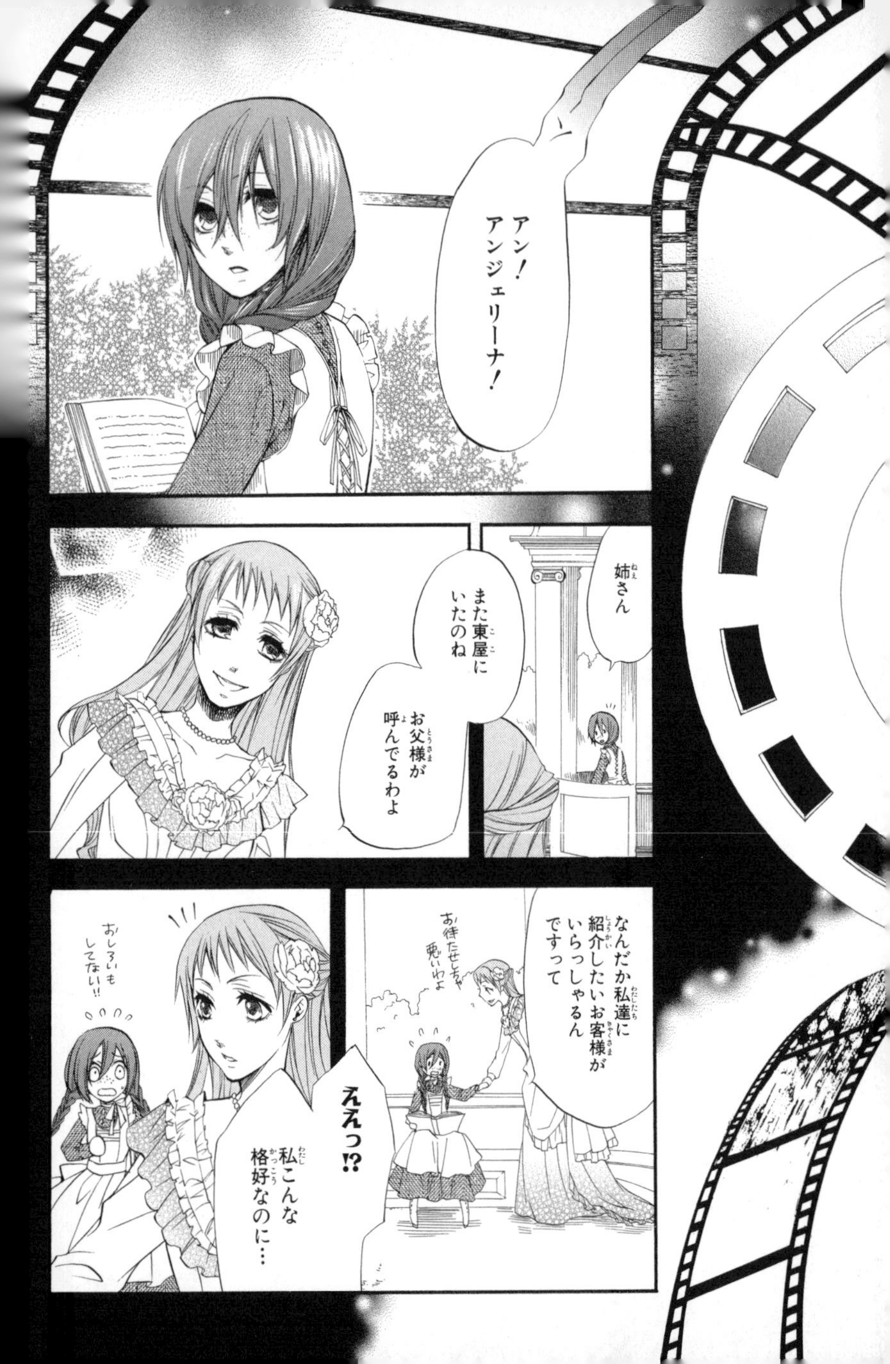
アン！
アンジェリーナ！
姉さん
また東屋にいたのね
お父様が呼んでるわよ
なんだか私達に紹介したいお客様がいらっしゃるんですって
お待たせしちゃ悪いわよ
ええっ!?
私こんな格好なのに…
おしろいもしてない!!

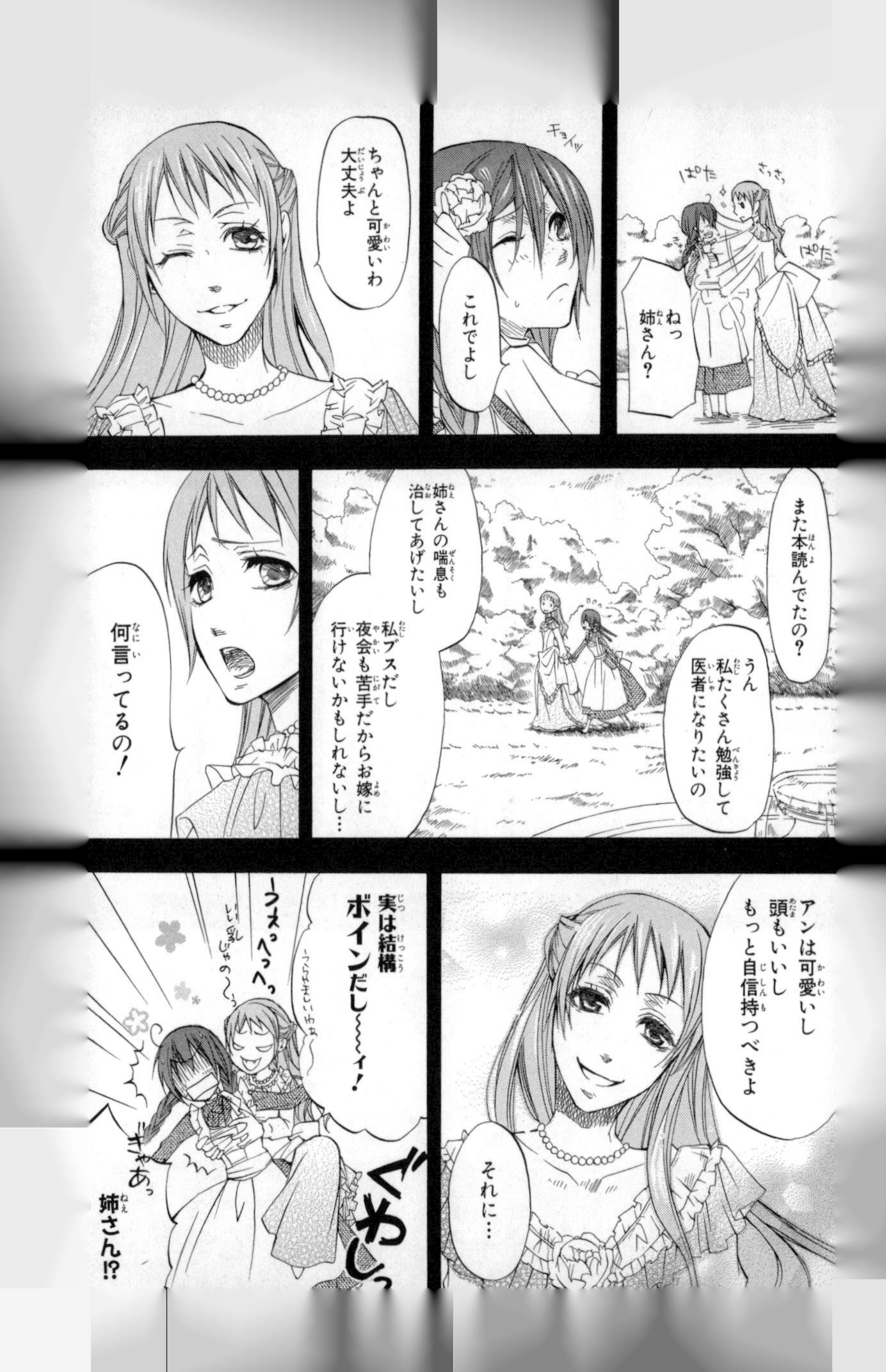
ぱた
さっさっ
ぱた
ねっ 姉さん？
チョンッ
これでよし
ちゃんと可愛いわ 大丈夫よ
また本読んでたの？
うん 私たくさん勉強して 医者になりたいの
姉さんの喘息も 治してあげたいし
私ブスだし 夜会も苦手だからお嫁に 行けないかもしれないし…
何言ってるの！
アンは可愛いし 頭もいいし もっと自信持つべきよ
それに…
実は結構 ボインだし～～～ィ！
ぐわしっ
ーうらやましいわぁ
ーウヘッへっへっ
いい乳じゃの～う
ぎゃあっ 姉さん!?

身体が弱かった姉さん
優しくて美人で
だけど気取ってなくて
大好きだった
母親似の優しい亜麻色の
髪が大好きで羨ましかった

"あの人"に出会ったのは十五の時だった

レイチェル
アンジェリーナ
ファントムハイヴ伯爵に
ご挨拶なさい
初めまして

は何故そんなに髪を長くばしてるの？
私は姉さんと違って美人じゃないし…
髪だってこんな赤毛で…
人と違うのは"恥"じゃない
個性だよ
アンの赤毛はとても綺麗だ
地に燃えるリコリスの色
君には赤がよく似合う
もっと自信をもっておいで

そして私は
前髪を切った

〝あの人〟が来る日は似合うと言ってくれた赤を着た

結婚式には大好きな赤いドレスを着て行った

大好きな二人が幸せなら
私も幸せだった

オギャー
オギャー…

ホギャッ
ホギャッ

はずだった——

奥様！
元気な男の子ですよ！
良かった…
生まれてきてくれたのね
アン
抱っこしてあげて
あなたの甥っ子よ
ふぁ…
かわいい…

大好きな姉さんと大好きな"あの人"の——

大きくなったらたくさん遊んであげてね
うん！

ふふっ
鼻の形があの人にそっくり

ズキン

赤い色が また嫌いになった——

それから私は大嫌いだった夜会に沢山出席するようになった
派手なメイク真っ赤なドレスで夜会を渡り歩く
いつしか私はレディ・レッドと呼ばれるようになった

一方ではがむしゃらに勉強して
両親の反対を押し切って医師免許も手に入れた

ン叔母ちゃま本よんで！
よんでーっ
シエル！リジー!!おばちゃんってよぶんじゃないッて言ってるでしょ！
ゴルァーー!!
お姉様とおよびッ
いつも悪いわね遊んでもらって
いーのよ！
子供好きだしそれに…
あっ
お父様だ！
お帰りなさい！

あたたかい姉夫婦

天気がいいから子供達と遊ぼうと思ってね

かわいい甥っ子達

私の大好きな人達

だけど　いつもどこかで感じてた

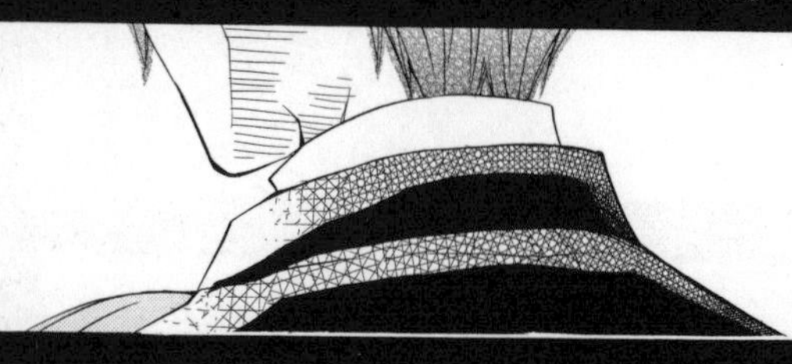

灼けつくような感情を

そして私は夜会で知り合った男と結婚した

「忘れられない男がいる」と言った私に
「それでもいい」と言ってくれた

誠実で純朴な人だった

男かな?
女かな?

男ってのはせっかちね
まだわからないわよ
クスクス

とても大切にしてくれた——幸せだった

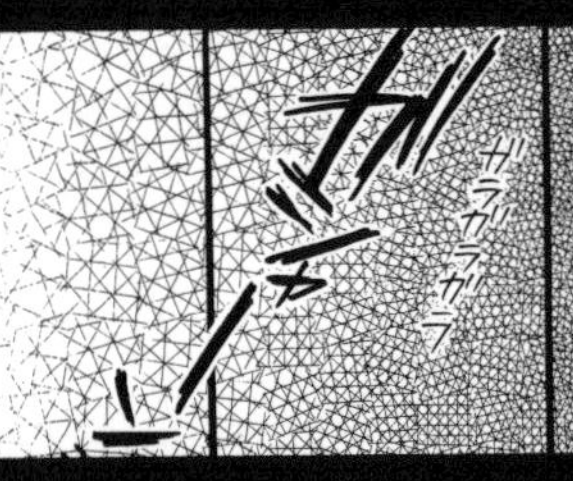
ガラガラガラ

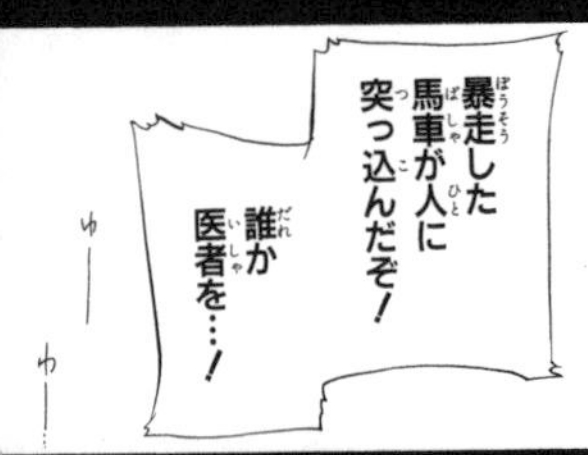
暴走した馬車が人に突っ込んだぞ!
誰か医者を…!

旦那さんは即死でした
そしてあなたは内臓破裂に伴いお子さんごと子宮を切除しました
あなたの命を救うためにはそれしか方法が…

アン
辛かったわね…
辛かったわね…!
姉さんはよく病院に見舞いに来ては
私を元気づけてくれた
アン!
医師に聞いたわ!
もうすぐ退院できるんですって?
おかげさまで
お祝いしなくちゃね
そうだ!
今度ウチの子が10歳の誕生日なの
アンの快気祝いを兼ねて一緒にお祝いしましょうよ!
で…でも…
シャバの酒はうまいわよ~!!
遠慮しないで!
快気祝いは大勢でパーッとやってガーッと飲むに限る!!
がっはっはっ
そして あの日はやってきた

結局
断れなかったな…
ガラ
ガラガラ…
ハア…
本当は私は乗り気じゃなかった

だって私は本当は
ガラガラガラ…
本当は――

キキーーッ
ガタッ
!?

どうしたの急に止まって

お奥様
あ…あれを…!!

十二月の灰色の空を染め上げた　その色は

私の嫌いな

赤い色——

黒執事
クロシツジ

第11話
At noon：その執事、追想

あの日

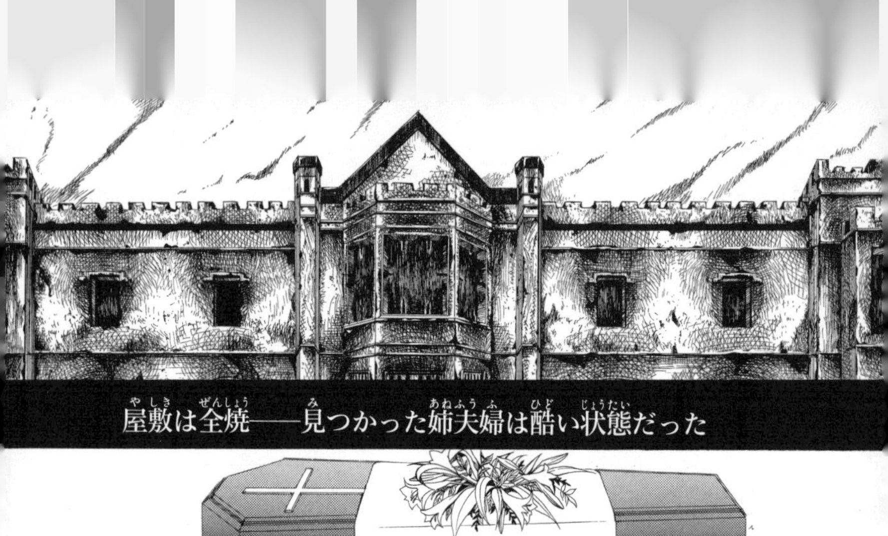
屋敷は全焼──見つかった姉夫婦は酷い状態だった

子供の死体は見つからなかった

悲しくて
悲しくて――
だけどそれ以上に
姉さんが羨ましかった
愛する〝あの人〟と一緒に
逝けたということが

それでも私は生き続けた　残された者として

大丈夫よ！
家で大人しくしててもね
働いてた方が
気が紛れるし…

ドクター！
もう復帰されて
大丈夫なんですか？

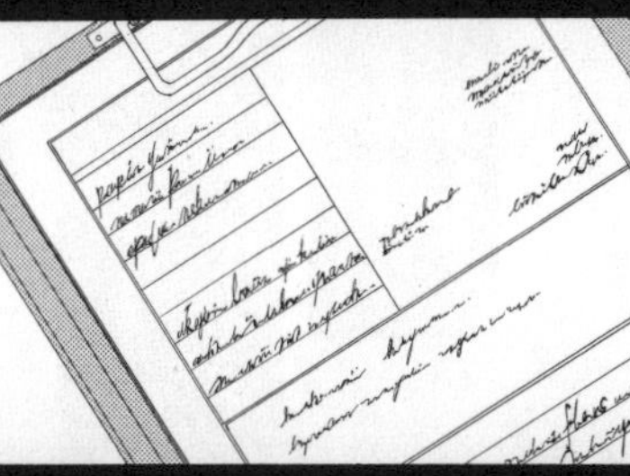
午後から
オペが入ってるしね

それなのに

憎かった
私がどんなに欲しくても手に入らないものを持っているクセに

私が何をしたの？

何故神様は
私ばかりを
こんな目に遭わせるの？

私はただ

ただ――――

コッ

コッ

…あら？
コッ…
あんたは
こないだの…
や…やめ…

な…
何するの…

憎い憎い憎い憎い憎い!!

そうして私は堕胎手術をした娼婦を次々と切り刻んだ
いらないものならお望み通り奪ってやる子宮も幸せも命も全部

その時――

ずっと見てたのヨ
アナタのこと♡

真っ赤な死神が私に笑いかけた

アナタのお陰で
この地区の
死亡者リストが
ビッシリよ
忙しいったら
アナタの気持ち
よーく分かるワ
あんな女共
死んで当然
ドンッ

アタシも赤ちゃんが欲しいのに男ってだけでダメだもの

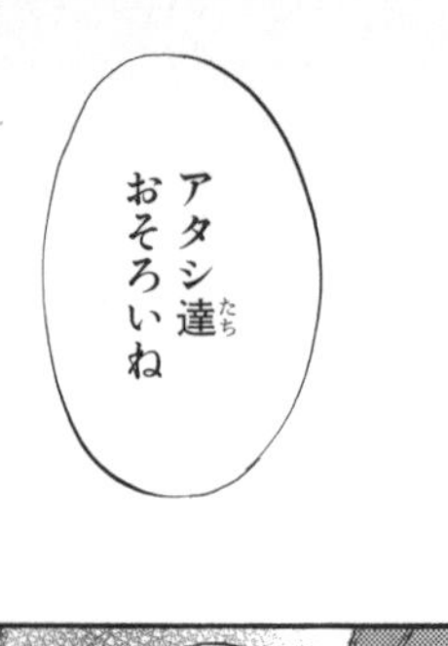

アタシ達おそろいね

アタシが

協力してアゲル

私は　血がこびりついた赤い髪を切った

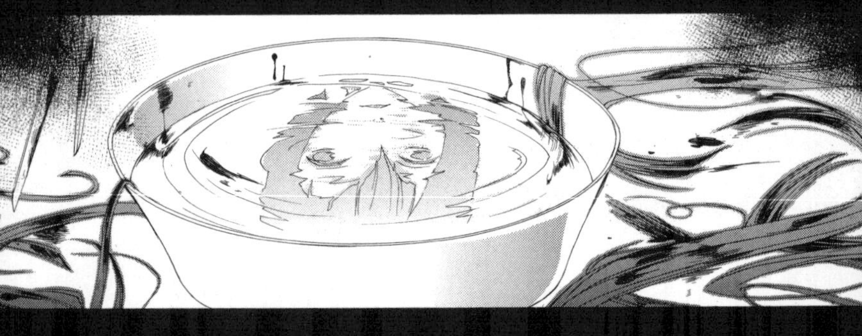

——数か月後　突然行方不明の甥っ子が帰って来た

シエル！本当にシエルなの!?
無事だったのね!!

黒ずくめの執事を連れて

行方不明中のことを
何度尋ねても
甥っ子は何も語らなかった
でもそれでよかった
シエルが戻ってきて
くれただけで
よかった…っ
あなただけでも
無事で…
もっとよく顔を
見せて頂戴

たった一つ戻ってきてくれた　私の大切な——

姉さんに
よく似た
〝あの人〟と
姉さんの子

ズキン

シエルが帰って来てくれて嬉しいはずなのに

胸を占める違和感

この子が帰って来たのに何故〝あの人〟は帰って来ないの？

何故この子が生きているのに〝あの人〟は死んでしまったの？

〝あの人の子供〟は〝あの人〟じゃない
〝あの人〟を私から奪った姉の息子なんだと——…

何故〝あの人〟と結ばれたのは私じゃなかったの？

そして
〝あの人〟の跡を継いだ
シエルがとうとう
〝切り裂きジャック〟を
捕まえに来た
姉さんに よく似た顔で

姉さん あなたはこれ以上私から何を奪おうというの？

今度は 私は何も譲らないわ

何も譲らないわ!!!
アタシは
返り血で真っ赤に染まった
アナタが好きだったのよ
マダム・レッド

下らない情に
流されるアンタに
興味ないわ
ドッ
ザッ
カッ
カッ
アリバイ作りの
手助けもしてあげた
アンタのためと思って
死神のルールを破って
リストにない女まで
殺してあげたのに
ガッカリよ!

カッ
結局そこらの女と一緒だったのね
アンタに赤を着る資格ないワ
ヴ
イッ…
チープな人生劇場はこれでオシマイ
ザッ…
ばっ
さようなら
マダム
さっ…

カッ
カッ
…ッ
スッ…
ぱしゃ…
セバスチャン
何してる
…？
僕は
“切り裂きジャックを狩れ”と言ったんだ

まだ終わってない
ピクッ
ぐずぐずするな
もう一匹を早く仕留めろ

…御意
ニヤ
…ンフッ
やる気萎えちゃったから
見逃してあげようと
思ってたのに…
そんなに死にたいなら
二人まとめて天国に
イかせてあげるワ!!

天国ですか
タッ
縁がありませんね
ヒョイッ
アタシ今機嫌悪いの
手加減なんか…
!?

ドッ
!!
キーーッ
ちょっ…
アンタ今アタシの顔狙ったでしょう!
乙女の命なのに!!
この人でなしッ

でしょうね
私は
あくまで執事ですから

ふんっ
悪魔が神に勝てると思ってんの？

どうでしょう
戦った事がないので分かりませんが…

坊ちゃんが勝てと言うなら
勝ちましょう

そこのガキと何があったのか知らないケド随分な入れ込みようじゃない
妬けちゃうワ

でも
たとえ悪魔でも
死神の鎌で
狩られれば本当に
消滅しちゃうのよ?
ギャラ
怖くないの?
全く
サァ…
今この身体は
魂は
毛髪の一本に至るまで
全て主人のもの
契約が続く限り
彼の命令に従うのが
執事の美学
ですから

彼が死ぬなと言うなら
死にませんし
死ねと言われれば
消えますよ
ふーーーん
美学を追究する
男って好きヨ
セバスちゃん
カッ
カッ
そのすました
顔をヒールで
踏みつけて
靴を舐めさせて
やりたくなる!!

悪魔と
死神
ガガガガガガ

やっぱりアタシ達分かり合えないのかしら
魂を全て回収するのが死神の仕事なら
悪魔はその魂を掠め取って食べてしまう害獣！

カッ
想っても報われない…
まるで

ロミオとジュリエットの悲劇(ひげき)だわ!
じょ
わっ
←トリハダ
誰?

私と貴方が主演では
カ
シェークスピアも嘆くでしょうね！
カッ
ああ セバスちゃん！
主人からもらったその忌まわしい名を棄てて
アタシだけを見てくれたなら！

どうして貴方はセバスちゃんなの？
ただ一言
主人が私を「セバスチャン」と呼んだ時から
その言葉こそ新しき洗礼にして契約

その日から私は「セバスチャン」ですよ
トッ
月に誓ってね
月に誓うなんて不誠実な男ね
カッ
アナタの瞳は本当には何も愛していない穢れた瞳
無垢な魂を卑しい手と唇で汚す悪魔
いい…いいわ…ゾクゾクするワセバスちゃん！
ぞくぞく
アナタの子供なら産める気がする！
ぞくぞく

やめて下さい
気持ち悪い
生物学上無理ですから
あぁん♡
冷たいのね!
美しい暴君!
天使のような悪魔!!
鳩の羽をした烏!!!
狼のように貪欲なアタシの仔羊
セバスちゃん!!

ああ…
セバスちゃん…
朝なんかこなければいいのに
そうしたらいつまでもこうして二人殺し合っていられるのに

でも
アバンチュールはここまでよ
…ッ
情熱的なキッスでお別れヨ
セバスちゃん♡
それでは
幾千にも幾万にも
ごきげんよう

黒執事
クロシツジ

第12話
In the afternoon：その執事、反攻

さあ
ドラマティックな走馬灯を…

ほっほっほっほっ
ほっほっほっ
ぱ
つ
ゆ

うわあああん
セバスチャンさ
XXX杯入れたら泡だらけに
料理は芸術だろィ
ちょっ…ちょっちょっ…
ちょっと!!
なんなのヨ
コイツらあああッ
ドラマ性のカケラもない
俺特製
ゴホッ…
ここ一年程は
そればかりの毎日
でしたからねぇ…
ハァッ…

こんな凡人共に興味ないのよ！
ば
もっとオイシイトコ見せなさいよッ
ばば
ヒ
残念ですが
ユッ
ここから先は有料です
チッ
ズ

タッ!
ゴホッ
嗚呼…
また服がボロボロになってしまった…
肩くらいなら繕えばまだ着られると思っていたんですが…
コレはもう駄目ですねぇ
こんな時に服の心配なんて余裕じゃない
何としてもアタシの花の顔を狙うのね この悪魔…
傷が浅かったってコトかしら
でも身だしなみに気を遣う男って好きよ
セバスちゃん!

バ
サッ
この方法だけは使いたくなかったのですが…
仕方ありません
コキ
ンフッ……
ガチャ…
ようやくアタシに本気になってくれるのね？

ヒュ
ウウ…
次の一撃で終劇にしましょうか
セバスちゃん
ジャッ…
この世にさようならを
ジャリッ…
あの世で結ばれまショ？

ダッ
セバスちゃん!!
ッ
ギャラララ

!!?
ギッ
ち
…えっ？
シ……ン
ギギッ
ギ
ギッ
エエエエエエエエー!!?
止まった!!?
ドッ

その武器が回転する事で
あの切れ味を生み出して
いるのでしたら
その回転を止めて
しまえば良いかと
思いまして
ぬぬぬぬぬぬ
こんなモノ
すぐに取って…!!
その燕尾服は
上質なウールで
出来ています
ぎぎぎぎぎぎ
ウールは
布の中でも特に
摩擦力が強い
一度かんだら
中々とれませんよ
どんだけぇえ!!?

お屋敷からの
支給品ですし
どうしても燕尾服
だけは使いたく
なかったのですが
はーーあ。
仕方ありません
すでにボロボロでしたしねぇ

全てが切れる死神の鎌
使えれば…
ね
クス…

コツ
あ…
さぁ…グレルさん
コツ

コツ…
死神の鎌はもう使えませんよ？

あ…
ああ…っ

フッ

ただの殴り合いでしたら
バキ
少々自信がございます
ボキッ

あっ…ちっ…ちょっと待って…
ゴゴ
かっ…
ゴ

顔はやめてぇぇぇぇぇぇ
ぎゃ～し

…ふう

お…
ドゴんっ
おぼえてらっひゃい〜〜〜……
ぐふっ

コツ
おや…流石死神
打撲では死にませんか
コツ
コツ
コツ
ですが…
スラッ
これではどうでしょう?

……!?

ブチ
全てが切れる
死神の鎌……
という事は
死神も
切れるのでは?
ブチッ

な…何考えっ…
やめなさいよっ…
コッ
ズリ
ズリ
コッ…
ギャッ
足蹴にされるのは
御免ですが
するのは
いい気分ですね
ミシ
ミシッ
ミキッ
いだああ

いだぁあありっ
ミキッ
ミシッ…
なかなかいい声で啼くじゃないですか
セバ…あぎゃあ
あああっ
ご褒美に
貴方のお気に入りの玩具で
イかせて差し上げます
メキ
メキ
嫌です
にっこり。

ガリ
や
やめ
てえええええ

ガ
ギャララ
!?

あっ…
!?
お話し中失礼致します

カシャ カシャ カシャッ
カシャン!!
私
死神派遣協会管理課のウィリアム・T・スピアーズと申します
そこの死神を引き取りに参りました
ウィル!
ウィリアム!!
助けに来てくれたの

め…
グ
シャッ
パラ パラ
派遣員グレル・サトクリフ
みしみしみしみしみしみしみ
貴方は規定違反を犯しました
ドッ
ガッ
まず死亡者リストにない者の殺害
ガッ
ガッ
次に使用許可申請書を提出していない死神の鎌の使用
ガスッ
ぺらっ
ガスッ
ちょ…
…
ガッ

すぐ本部に戻って始末書と報告書を提出して頂きます
ズルズルズル
ちょっとォアタシ今殺されそうになってたのよ！
冷たい
キーーッ
黙りなさい
ズ
ドゴッ
ゴッ！
ぷかぷか
この度はアレが大変ご迷惑をお掛け致しました
はぁ…
アレ
あ
これ私の名刺です
全く…
よりによって貴方の様な害獣に頭を下げる事になるとは
死神の面汚しもいい処だ
ボソ

ではその害獣に迷惑を掛けない様しっかり見張っておいて下さい
人間は誘惑に弱い
地獄の様な絶望の淵に立たされた時
目の前にそこから脱却できる蜘蛛の糸が現れたら必ず縋ってしまう…
どんな人間でもね

それに漬け込んで人間をたぶらかし
寄生して生きているのが悪魔でしょう
否定はしませんが
クス

首輪がついた飼い犬な分
節操のない狂犬共より幾分かマシな様ですがね
チラ…
…さ帰りますよグレル・サトクリフ

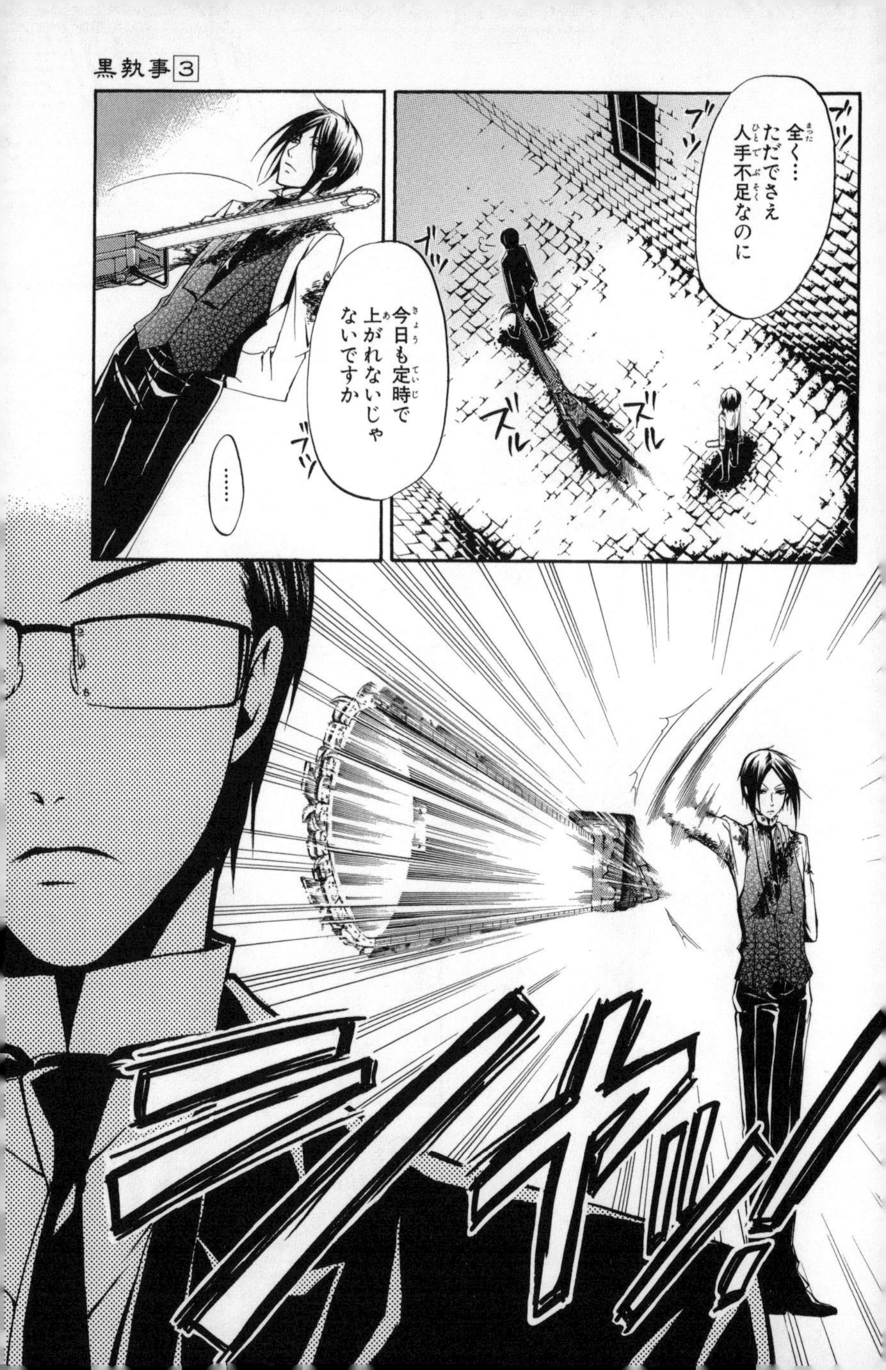
ブツ
全く…
ただでさえ
人手不足なのに
ブツ
ズル
ズル
今日も定時で
上がれないじゃ
ないですか
ブツ
……
ジャキンッ

ヴ
ン
ッ
ヴィ
ィ
ン
…お忘れ物ですよ
ニコッ
……

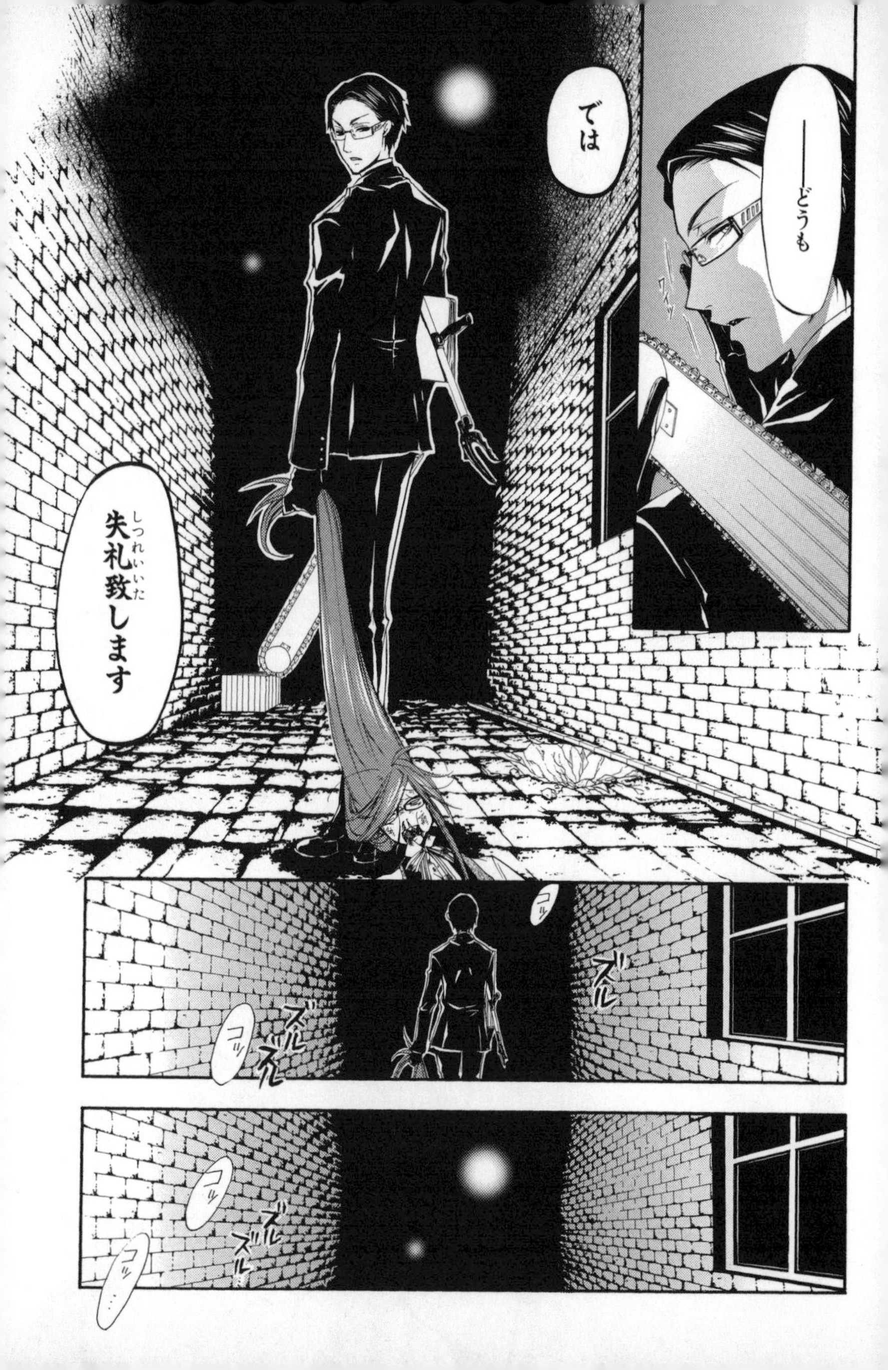
――どうも
では
失礼致します
コッ
ズル
ズル
コッ
ズル
コッ
ズル
ズル
コッ

申し訳ありません
もう一匹を取り逃しました
…いい

もう…いい

とても冷えておいでだ
早く街屋敷へ戻りましょう
お約束通りホットミルクをお淹れしましょうね
……
そうだな
ヨロッ
坊ちゃん!

坊っ…
いい

大丈夫だ
一人で立てる

ただ…
……

少し…
疲れただけだ…

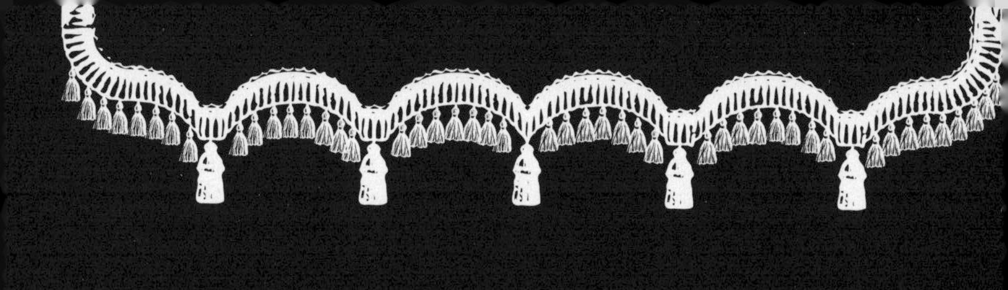

黒執事
クロシツジ

第13話
At night：その執事、葬送

ガラーーン
ガラーーン…
さー
みは
ガラーン
にいたん
あん？
教会今日いっぱい人がいるね
なんでだろ？
ゴローン
ガラーン
さぁ――？
にいたんはにいたんなのに知らないの？
ばか？
ブー
ばかー
なっ
オレはまだ12歳なんだから知らなくてイイんだよッ
そうだね

子供は知らなくて当〜〜然だ
ぬっ
今日はねぇ
ヒッヒッ
とある貴婦人の晴れ舞台なのさ
晴れ舞台…？
そ
人生最後にして最高のセレモニー

お葬式（そうしき）だよ

ひっく
ぐすっ

ぐすっ

アン叔母（おば）さま…

ガチャ…
ザワ
ザワ
ザワ
ザワ…
コツ

ザ
ッ
シエル…！
真っ赤なドレス…!?

コッ
コッ
コッ
ざわ
コッ
ざわ
コッ
コツン…

——貴女には
白い花も 地味な服も 似合わないよ
貴女に似合うのは
スッ
情熱の赤

地に燃える
リコリスの色だ
・・・・・・
アン叔母さん
ヒラッ
――あ

――おやすみ
マダム・レッド

カーン
カーン…

切り裂きジャックの正体は女王に報告しないのかい？

……する必要もないだろう

もう切り裂きジャックはロンドンにはいないのだから

——そうやって君は
どんどん泥沼に足を嵌めてゆくのだね

…？

たとえ引き返せぬ場所まで踏み込んだとしても
君は無様に泣き叫び助けを乞うような姿は決して人には見せないのだろう

誇り高き
女王の狗

我も伯爵のお世話にならない様

せいぜい気をつけるよ

阿片は中毒性が問題になってきてる
英国で規制がかかるのも時間の問題だからな
そうなれば華僑の経営している阿片窟もいずれ閉鎖せざるをえなくなるだろう

そうなったら
また別の商売を
考えるさ
まだ我はこの国に
興味がつきない

君にもね
伯爵

まだまだ
面白いものを
見せてくれると
期待しているよ

セバスチャン
少し寄る
所がある
来い

──葬儀屋
終わったか
もちろん
小生がしっかり綺麗にして埋葬してあげたよ
ほら
MARY JANE KELLY
メアリ・ジェーン・ケリー
切り裂きジャック事件最後のお客さんだよ
国外からの移民だったらしい
遺体の引き取り手が見つからなかった

だから優しい伯爵は名もない娼婦のお墓を建ててあげたんだよねェ〜
ヒヒヒッ
優しくなどない
ギリ…
…僕は
ザァ…
わかっていたんだ
この女を
助けてやれないということを
あの夜
この女の命を第一に考えるなら
助ける方法はいくらでもあった
だが僕は・・そうしなかった

助かる可能性をわかっていながら
切り裂きジャックを捕らえることを優先した
僕は
助けられないのを
わ・か・ってた・・
わかっていて
見殺しにした
肉親さえ…

ザァ
…
…後悔してるのかい?
してない
切り裂きジャックはもういない
ヴィクトリア女王の憂いは晴れたのだから
女王か
気に入らないなァ~
MARY JANE KELLY
自分は高みの見物ばかりで
辛いことや汚いことはぜ~んぶ伯爵に押しつける

これは我が一族が背負う業だ
この指輪と共に代々受け継がれてきた

その指輪はまるで首輪のようだねぇ
業という鎖で君を女王に繋いでいる

その首輪をこの首にはめると決めたのは
僕だ

!

小生はいつか君がその首輪で首を吊ってしまわないように祈ってるよ

そんなのは
つまらないからね
また何かあったら
いつでも店に
おいで
スル…
ゴホッ
伯爵と執事君なら
いつでも歓迎するよ
ヒッヒッ…

――お優しいのですね
何度も言わせるな 僕は優しくなど
お優しいですよ でなければ…

〝弱虫〟ですかね？
ばッ
っ！
クス
貴様…
何故……
撃たなかったのです？

〝肉親さえ見殺しに〟？
嘘は感心しませんね

あの晩貴方は銃を隠し持たれていた
撃とうと思えば彼女を撃てたはずです

けれど貴方はためらった

私が促しても
貴方は銃をとらなかった

何故です？

マダムを自分の手で殺すのが
怖かった？
誰とも知れない女は殺せても
MARY JANE
やはりお身内は殺せないとでも？
……

お前の仕事だからだ
お前が死んでも僕を守ると思ったから撃たなかった
…！

悪魔と僕の契約は
〝僕が目的を果たすまで僕の力となり〟
〝僕を殺さず守り抜くこと〟

僕があそこで死んでしまっては契約違反だ
契約に従うことが悪魔の美学だと言うのなら
お前は死んでも僕を助けに来るはずだ
悪魔には〝信念〟や〝忠誠〟などありはしないだろう？
あるのは〝美学〟のみ
ならば・・・・・己の美学のためにお前は僕を守るだから
僕がわざわざ手を下さずとも
黙っていればお前がマダムを殺してた
違うのか？

では何故…
止められたのです？

マダムは表の世界を
裏の力で汚した

ならばしかるべき
場所に出て
裁かれるのが道理
バサ
バサ…
市警のメンツを
立ててやるのも
僕の役目だからな

……

僕を殺そうとした
マダムの目には
迷いがあった
マダムには
僕を…
肉親を殺すことは
できない
そう思ったんだ

一瞬でも迷えば
命取りになる
チェスと一緒だ
彼女は迷い
次の一手を
見失った
それだけのこと

だから僕は迷わない

ゾクッ
…そうでなくてはね…
ニ…
いつでも王は駒を上手に使い生き残ればいいのです
騎士も女王も利用して

その玉座の下に駒の亡骸が積み上がろうと
決して倒れてはいけない
王が倒れればこの「ゲーム」は終わりなのだから
僕は立ち止まらない
踏み出した一歩に後悔もしない
だから…

命令だ

騎士だけは僕を裏切るな
僕の傍を離れるな
…絶対に！

――御意（イエス）ご主人様（マイロード）

貴方（あなた）が望（のぞ）むのなら
バサッ

どこまでもお供（とも）しましょう

たとえ玉座が崩れ
輝かしい王冠が
朽ち果て
数え切れない亡骸が積み上がろうと
積み上がる亡骸の上
そっと横たわる
小さな王の傍らで

王手のコールを聞く

その時まで

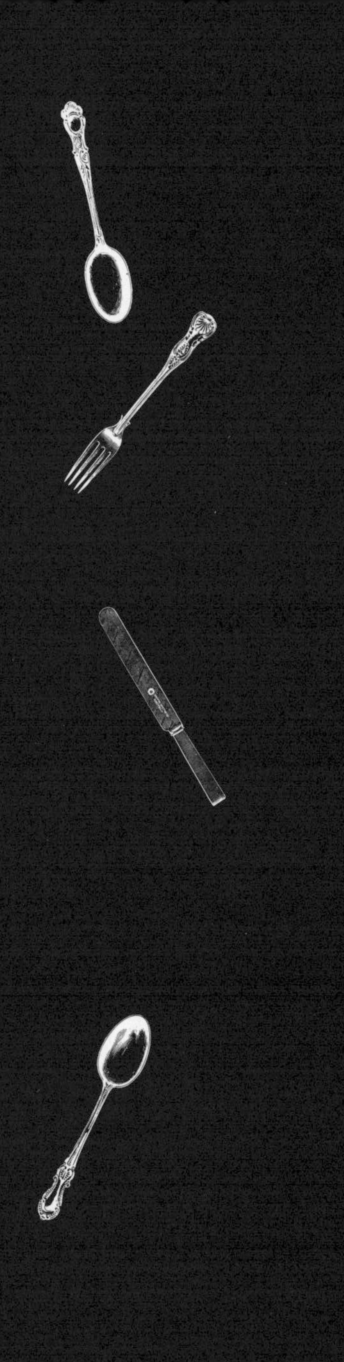

黒執事
クロシツジ

HAPPY HALLOWEEN!
第14話
At midnight：その執事、狩猟

Kuroshitsuji

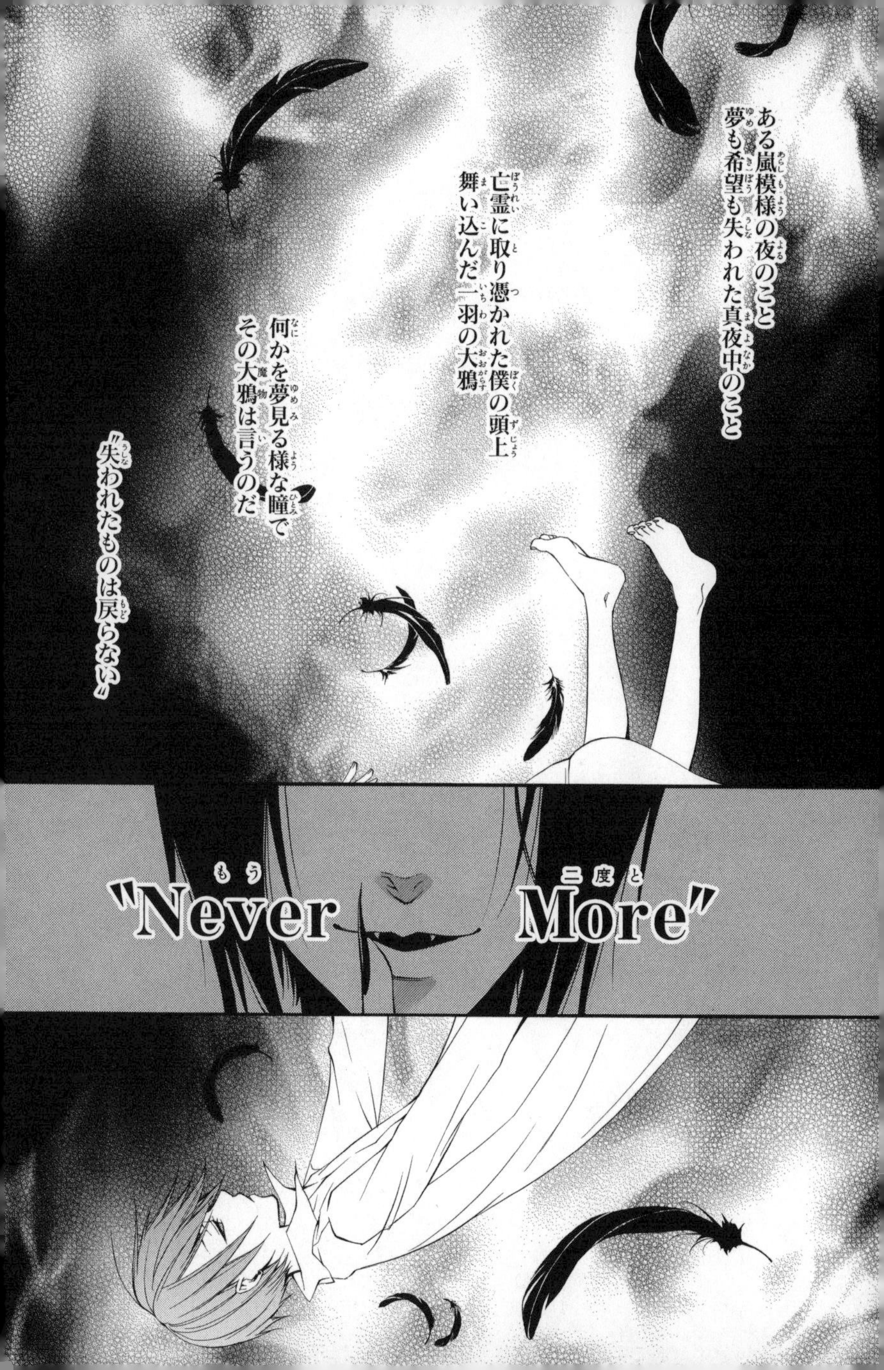

ある嵐模様の夜のこと
夢も希望も失われた真夜中のこと
亡霊に取り憑かれた僕の頭上
舞い込んだ一羽の大鴉
何かを夢見る様な瞳で
その大鴉は言うのだ
〝失われたものは戻らない〟
"Never More"

――ちゃん
ぱち…
――坊ちゃん
坊ちゃん
ドッ
ばッ
…ッ!!
ドクン

はぁ
はっ

僕に…っ
カチ
カチ
触るなっ…

……

ニコッ

本日の目覚めの紅茶はアッサムをたっぷりのミルクで淹れたミルクティーをご用意致しました
はぁ
はあっ
牛乳にはリラックス効果がございます
コポポ…
落ち着かれますよ
はあっ
……
はぁ
特に悪い夢の後などは…
……
は――――っ
カチャ
Edgar Allan Poe

クス
お休み前にポーなどお読みになるからですよ

僕の勝手だ
今日の予定は？

※エドガー・アラン・ポー（1809〜1849）アメリカの作家

本日は本社から届いた書類のチェックを
午後はミッドフォード侯爵夫人とご令嬢エリザベス様がお見えになります

そして坊ちゃんの

支度しろ早く！

そんなに慌てて支度なさらずとも夫人は午後から…

あのフランシス叔母様だぞ!!

あ〜〜セバスチャンさんと坊ちゃんが帰って来てくれてよかった〜〜♡
ルンルーン
雑草とり終了〜♡

あのまま…
あのままだったら僕ら一体どーなってたんだろ…

あっ
クリスマスローズが咲いてる!

もうすぐクリスマスだな〜〜〜…
あっ

みんな!
みんなぁ!!
大変だ!
バタ
バタ
ヅ
フィニ
朝っぱらから
だよ
うるせェ
なァ
どうした
ですだか〜〜〜
スキ…
キライ…

も——っ
みんな忘れちゃったの!?
今日は特別な
日だよっ!!

あん?
12

特別——?
ブルル…

お久しぶりに
お目にかかります
ミッドフォード侯爵夫人
レッ
ヨ
今日もまた予定より
お早いご到着で…
堅苦しい挨拶は結構
今起きたという
顔ですね
ファントムハイヴ伯爵？
いえ そのような…
やーんっ
寝起きのシエルも
かわいー―――っ
ぎゅーーっ
ぎゅ
ぐえっ
エリザベス！
ビクッ
しまる…
ゴゴゴゴ
挨拶もなしに
無礼なマネは
よしなさい
この母の実家といえど
レディたるもの礼節を
わきまえろといつも…
ごめんなさい
お母様!!

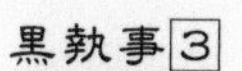

お久しぶりに
お目にかかります
侯爵夫人
エリザベス様
ようこそいらっしゃい
ました

本日は遠方より
……
じーー…
?

じいいいい
あの…
えっと…
私の顔に何か…

いやらしい顔だな
お前は!
相変わらず
プッ

生まれつき
この顔でして…
それに!
執事も主も
男のクセにダラダラと
前髪を伸ばしおって
うっとうしい!
タナカを
見習え!!
ビッ!!
ほっほっほっ

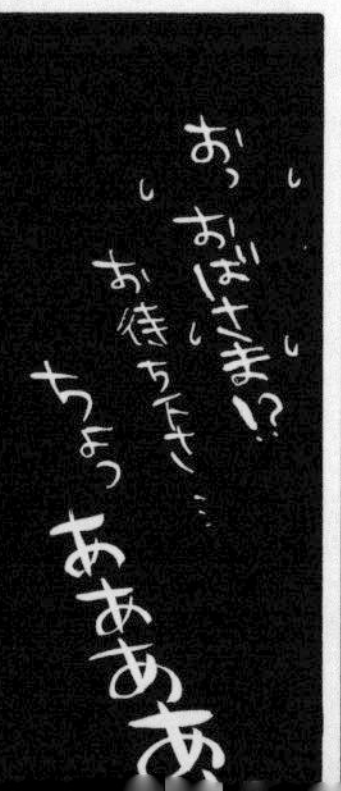
おっおばさま!?
お待ちくださ…
ちょっ
あああああ

ペカ〜
お手数おかけして申し訳ありません…
叔母様…
全くだ
フンッ
あんまりかわいくない…
前ファントムハイヴ伯爵の妹君 フランシス様は 規律に厳しく惰性と欲を嫌い 強きと清きを尊ばれるお方です
お噂では女王陛下主催のフェンシング大会で
騎士団長であるミッドフォード侯爵に 人間とは思えない強さで 勝利したのがきっかけで 御結婚されたとか
ふがいない キサマそれでも 英国騎士団長かッ!!!

ご結婚されてからも日々の鍛練をかかさずまだ若き日の強さと美しさを保っておられるとんでもない貴婦人なのです
抜きうちで来てみれば相変わらずお前はダラダラ執事はいやらしい

いやらしい…
お前は我が娘を嫁る男だ
ドキッ

今日という今日はお前を鍛え直してやる！
徹底的にチェックしてやる!!
!!
まずは屋敷内を見せてもらおうか！
部屋の乱れは心の乱れ!!
ドキ

では私がご案内致します
ズッ
お おい…っ
Shh-
おまかせ下さい昨日のうちに全て完璧に整えてございます
まず中庭からご案内致します
ガチャ
今年はドイツから取り寄せた冬薔薇が大変美しく…

お花がいっぱいキレイだな〜♪
ルルル〜♪ ラララ〜♪
チョキ
フンフ〜ン♪
チョキ
チョキ
パタム。
にっこり。
間違えました
先に見て頂きたいのはリビングの方でした
何故だ？ここまで来たんだし中庭からで
いえリビングへ
何かあったな…
うっかりしておりました!!
ベラ
ベラ
クリスマスローズの八重咲きとドイツから取り寄せた冬薔薇が見頃なのですが花はお昼頃に全て開いた姿をお見せしたいので是非

リビングは先日
大幅に模様替えを
致しました
フランスから
美しい柄の壁紙を
取り寄せまして…
ガチャッ
あああああ
パリーン
ガシャン

バタム。

にっこり。
間違えました

やはり温室でお茶に
致しましょう

何故だ？
リビングを見に
来たんだろう

いえ
お茶に
しましょう

ダラ
ダラ

どうぞ
こちらへ!!

ベラ
ベラ

お二人共窮屈な馬車に長時間
お乗りになってお疲れでしょう
気がきかず申し訳ありません私と
した事が…温室にくつろげるスペ
もうけておりますのでとりあえず
そこで何か軽くつまみながら

丁度スペインから
良いオレンジが入った処
ですのでディンブラで
シャリマティーなど…
うわ
ドカーン!
……
また間違えたのか？
優柔不断な
男だな!!
ふわふわ
申し訳ありません
私とした事が…
ハラ
ハラ

それよりも侯爵婦人に
ご覧になって頂きたいものが
あったのを忘れておりました
？
御婦人をご案内する
様な所では
ないのですが…
馬屋へ
参りましょう

いかがでしょうか侯爵夫人
主人の愛馬にと見事な青駒の毛並みの馬を迎えまして
以前より侯爵夫人にご覧に入れたいと思っておりました
ほう…
たしかに良い馬だ腰もしっかりして面がまえも良い
ブルル
そうだ
シエル
!?
ブルル
これから私と狩りに出ないか？
叔母様とですか？

娘の夫になる男がどれ程の男か見る良い機会だ
それとも
少女の様に華奢なファントムハイヴ伯爵には〝狩猟〟はキツすぎるか？

いいでしょう
セバスチャン準備を

勝負だシエル！

セバスチャン
は
…坊ちゃん
くん
くん
こちらです

お前の執事は犬も兼用か？

そのようなものですよ
あれは

ではこのあたりで
始めさせて頂きます

ルールは左右25メートル以内の
お互いのテリトリーを
守る事と
規定の高さ以下の鳥は
撃たない事…で
よろしいですね？
ああ

では只今より
ゲームをスタート
致します
パキーンッ
制限時間は
3時間です

ではまたな
シエル！
ブルル

ドドッ
リジー
お前も降りろ
これじゃ
狩りが
できん
えー
せっかく一緒に
来たのにぃ〜〜
ドドッ
パ――ン…

1−0
!

さすが侯爵夫人早速1羽仕留められた様です
どうやら坊ちゃんでも手強いお相手となりそうですね？
ムッ

きゃあっ!?

叔母様には悪いが
僕はゲームと
名のつくもので
負ける気はしないいな

リジー
危ないからそこで
セバスチャンと一緒にいろ
いいな

ドドッ
ドドッ

──よかった

シエル
少し元気出た
みたい

アン叔母様が
一番可愛がってたの
シエルだったから
心配してたの
私 シエルには
もう辛い想いを
して欲しくない
いつも私なりの
やり方で励まそうと
するんだけど
全然うまく
いかないの
いつもやり過ぎて
怒られちゃうし

貴女様のそのお優しいお心遣い
きっと主人も感じていらっしゃると思いますよ

えへへっ
ありがとう
優しいのねセバスチャン

パーン
パーン

5 ― 4
どうやらゲームは白熱している様です
私達もお二人を応援致しましょう
パキン

侯爵夫人はキジ10羽 キツネ2匹 ウサギ3羽の計15匹
坊ちゃんはキジ11羽 キツネ3匹 ウサギ1羽 計15匹…

同点引き分け
という事でよろしいですか？
気にくわん！
私はハッキリしないのは好きじゃない
奇遇ですね叔母様
僕も同じ意見です
本日のランチ
ステーキ・アンド・キドニーパイ
と
サーモンサンドウィッチ
では
勝敗は午後の部で…という事で

いいだろう
バヂッ
問題ない

しかし狩場を荒らしすぎたな午後は場所を変える

ああ…
ふん

大丈夫ですよ侯爵夫人
まだまだ大物が隠れております

じゃあルールも決まったことだし
食べましょっ

すっごくいい匂い…
ハ〜〜…

え？

きゃあああっ
ゴッ
ダァンッ

ぐ
らっ

ズ
ウン

フーーッ
叔母様(おばさま)…っ

……
…フッ

16-15
どうやらゲームは僕の負けのようです叔母様

フン
私に勝つなど10年早い
…だが
その身を挺して我が娘を守った度胸だけは
誉めてやる

そして
恩にきる
!!

流石は我が息子になる男だ
シエル・ファントムハイヴ卿

さあ
ゲームは終わりだ
帰るぞ

カポ
カポ

……
おい

おい
執事

忘れものだ
…おや
私とした事が
大切な銀食器を
忘れるとは…
全くだ
熊の脳天に
忘れていたぞ

それを倒したのは
お前だな？
私の弾丸は
外れていた
娘の危機に手元を
狂わすとは私も
歳をとったものだ

だが主に華を持たせるのが執事の役目だろう?
何故 私に勝たせる様なまねを?
坊ちゃんは突出したゲームの才能をお持ちです
それゆえに「負けるわけがない」と少々ご自分の力を過信していらっしゃる節がございます

しかし時には目標に向かい努力する
謙虚な姿勢も持って頂かなくてはなりません…

そうでなくてはいずれ足元をすくわれるでしょう
坊ちゃんが目指す場所は生易しい場所ではないのですから

勝手を申す様ですが…
?

侯爵夫人には
我が主の模範となって
頂きたいのです
つまり私は
利用されたと
いうことか
ふんっ
決してその様な
ことは…
我が主はまだ
〝子供〟…
それと同時に
〝当主〟でもある
そんな坊ちゃんを
戒めて下さる
〝大人〟が
今の坊ちゃんには
必要です

お前
いやらしい顔のわりに
マトモなことを言うな
…….。
そんなに
いやらしい
ですかね

主人のためなら
主人を痛い目に遭わせて
戒めるのも仕事のうちか?

私は
あくまで執事ですから
主人のためになる最良の事をさせて頂いたまでです
フン
食えない奴だ

狩りも盛況だった事ですし
私が腕によりをかけて…
ガチャッ
あ
ほっほっ
ボロッ
おかえりなさ――いっ!!
お
お前達その格好は…!?
へっ
ほらっ!
みんなで作ったんですよ!!
!?
ハア？

ほらっ
バラで飾りつけもしたんですよ！
坊ちゃんの好物がいっぱいの丼もありますぜィ
もじ
もじ
テッ
テーブルセットはワタシがしたですだよ
セバスチャンさんをお手本に…

……

ゴゴゴゴゴゴ
しまった!!

フン
カッ
先を越されたな
カッ

今日はそれを言うために来たんだが
カッ

13歳の誕生日おめでとう
シエル
そしてみんな
私の娘と息子をこれからも頼む
ありがとう
ございます

セバスチャン
今日は世話になったな
は
一つだけ言っておこうと思っていたことがある
ドキッ
!?
滅茶苦茶になった食器と
ボロボロの庭と
黒コゲのキッチンの後始末もしっかりな
ばれてましたか
はい
今日はパーティーだー!!
タダ酒!! タダ酒!!
ハッピーバースデー♫
わい
ス…
わい
やれやれ

Happy Birthday
どうやらコレは無駄になってしまった様ですね
嗚呼…
スルッ
人間という生物は本当に理解しがたい
こんなものが
美味しい
なんて

あっ
坊ちゃん！
坊ちゃん!!
雪ですよっ
ああ
綺麗だな――
――冷たい
アグニ
これはなんだ？

英国の冬に降る
〝雪〟というものでございます
王子
雪…

英国か…
美しいな
持ち帰り
母上にも
見せたいものだ

黒執事3　おわり

黒執事
Black Butler

Downstairs

Wakana Haduki

Akiyo Satorigi

Yana's Mother

SuKe

KiYo

MiNe

*

Takeshi Kuma

*

Yana Toboso

SpecialThanks

for You!

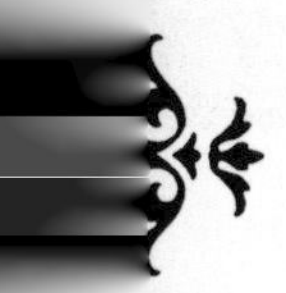

ただの追い剝ぎなら
僕が出てくるまでも
ないが
王室が侮辱され
続けたのでは黙っている
わけにもいかなくてな

Watch this wild, pathetic
infant of sloth and depravity.
England is the motherland of the
devils robs off everything and
forces worthless, rotten and arrogant
culture on you instead.
To all the idiots of this bitch ruled
Land, You are the ones deserve the
vengeance of Heaven!
Now, the Day has come.

英国を愚弄する事件勃発!!

このお方は
ベンガル藩王国
国王は第26子
ソーマ・アスマン
カダール王子に
あらせられます

…とうとうここが見つかってしまったようだね
伯爵
そして始まる新たな戦い!!
御意のままに
この神に授かりし右手…主のために振るいましょう

黒執事

クロシツジ

3

2008年1月18日　初版発行
2013年3月15日　29刷発行

著者
枢　やな

発行人
田口浩司

発行所
株式会社スクウェア・エニックス
〒160-8430　東京都新宿区新宿6-27-30　新宿イーストサイドスクエア2階
〈編集〉TEL 03（5292）8312　〈販売・営業〉TEL 03（5292）8326　FAX 03（5292）8728

印刷所
図書印刷株式会社

装幀
中川ユウキチ（KINEMA MOON Graphics）

初出／月刊Gファンタジー平成19年7月号〜11月号

ISBN978-4-7575-2192-6　C9979
Printed in Japan